在庆祝香港回归祖国二十五周年大会暨香港特别行政区第六届政府就职典礼上的讲话

（2022年7月1日）

习 近 平

人 民 出 版 社

在庆祝香港回归祖国二十五周年大会暨香港特别行政区第六届政府就职典礼上的讲话

（二〇二二年七月一日）

习　近　平

同胞们，朋友们：

今天，我们在这里隆重集会，庆祝香港回归祖国25周年，举行香港特别行政区第六届政府就职典礼。

首先，我向全体香港居民，致以诚挚的问候！向新就任的香港特别行政区第六任行政长官李家超先生，向香港特别行政区第六届政府主要官员、行政会议成员，表示热烈的祝贺！向支持“一国两制”事业、支持香港繁荣稳定的海内外同胞和国际友人，表示衷心的感谢！

中华民族五千多年的文明史，记载着华夏先民在岭南这片土地上的辛勤耕作。鸦片战争以后的中国近代史，记载着香港被迫割让的屈辱，更记载着中华儿女救亡图存的抗争。中国共产党团结带领人民进行的波澜壮阔的百年奋斗史，记载着香港同胞作出的独特而重要的贡献。有史以来，香港同胞始终同祖国风雨同舟、血脉相连。

香港回归祖国，开启了香港历史新纪元。25年来，在祖国全力支持下，在香港特别行政区政府和社会各界共同努力下，“一国两制”实践在香港取得举世公认的成功。

——回归祖国后，香港在国家改革开放的壮阔洪流中，敢为天下先，敢做弄潮儿，发挥连接祖国内地同世界各地的重要桥梁和窗口作用，为祖国创造经济长期平稳快速发展的奇迹作出了不可替代的贡献。香港积极融入国家发展大局、对接国家发展战略，继续保持高度自由开放、同国际规则顺畅衔接的优势，在构建我国更大范围、更宽领域、更深层次对外开放新格局中发挥着重要功能。香港同内地交流合作领域全面拓展、机制不断完善，香港同胞创业建功的舞台越来越宽广。

——回归祖国后，香港战胜各种风雨挑战，稳步前行。无论是国际金融危机、新冠肺炎疫情，还是一些剧烈的社会动荡，都没有阻挡住香港行进的脚步。25 年来，香港经济蓬勃发展，国际金融、航运、贸易中心地位稳固，创新科技产业迅速兴起，自由开放雄冠全球，营商环境世界一流，包括普通法在内的原有法律得到保持和发展，各项社会事业全面进步，社会大局总体稳定。香港作为国际大都会的勃勃生机令世界为之赞叹。

——回归祖国后，香港同胞实现当家作主，实行“港人治港”、高度自治，香港真正的民主由此开启。25 年来，以宪法和基本法为基础的特别行政区宪制秩序稳健运行，中央全面管治权得到落实，特别行政区高度自治权正确行使。制定香港国安法，建立在香港特别行政区维护国家安全的制度规范，修改完善香港选举制度，确保了“爱国者治港”原则得到落实。香港特别行政区的民主制度符合“一国两制”方针，符合香港宪制地位，有利于维护香港居民民主权利，有利于保持香港繁荣稳定，展现出光明的前景。

同胞们、朋友们！

“一国两制”是前无古人的伟大创举。“一国两制”的根本宗旨是维护国家主权、安全、发展利益，保持香港、澳门长期繁荣稳定。中央政府所做的一切，都是为了国家好，为了香港、澳门好，为了港澳同胞好。在庆祝香港回归祖国20周年大会上，我曾经讲过，中央贯彻“一国两制”方针坚持两点，一是坚定不移，确保不会变、不动摇；二是全面准确，确保不走样、不变形。今天，我要再次强调，“一国两制”是经过实践反复检验了的，符合国家、民族根本利益，符合香港、澳门根本利益，得到14亿多祖国人民鼎力支持，得到香港、澳门居民一致拥护，也得到国际社会普遍赞同。这样的好制度，没有任何理由改变，必须长期坚持！

同胞们、朋友们！

温故知新，鉴往知来。“一国两制”在香港的丰富实践给我们留下很多宝贵经验，也留下不少深刻启示。25 年的实践告诉我们，只有深刻理解和准确把握“一国两制”的实践规律，才能确保“一国两制”事业始终朝着正确的方向行稳致远。

第一，必须全面准确贯彻“一国两制”方针。“一国两制”方针是一个完整的体系。维护国家主权、安全、发展利益是“一国两制”方针的最高原则，在这个前提下，香港、澳门保持原有的资本主义制度长期不变，享有高度自治权。社会主义制度是中华人民共和国的根本制度，中国共产党领导是中国特色社会主义最本质的特征，特别行政区所有居民应该自觉尊重和维护国家的根本制度。全面准确贯彻“一国两制”方针将为香港、澳门创造无限广阔的发展空间。“一国”原则愈坚固，“两制”优势愈彰显。

第二，必须坚持中央全面管治权和保障特别行政区高度自治权相统一。香港回归祖国，重新纳入国家治理体系，建立起以“一国两制”方针为根本遵循的特别行政区宪制秩序。中央政府对特别行政区拥有全面管治权，这是特别行政区高度自治权的源头，同时中央充分尊重和坚定维护特别行政区依法享有的高度自治权。落实中央全面管治权和保障特别行政区高度自治权是统一衔接的，也只有做到这一点，才能够把特别行政区治理好。特别行政区坚持实行行政主导体制，行政、立法、司法机关依照基本法和相关法律履行职责，行政机关和立法机关既互相制衡又互相配合，司法机关依法独立行使审判权。

第三，必须落实“爱国者治港”。政权必须掌握在爱国者手中，这是世界通行的政治法则。世界上没有一个国家、一个地区的人民会允许不爱国甚至卖国、叛国的势力和人物掌握政权。把香港特别行政区管治权牢牢掌握在爱国者手中，这是保证香港长治久安的必然要求，任何时候都不能动摇。守护好管治权，就是守护香港繁荣稳定，守护七百多万香港居民的切身利益。

第四，必须保持香港的独特地位和优势。中央处理香港事务，从来都从战略和全局高度加以考量，从来都以国家和香港的根本利益、长远利益为出发点和落脚点。香港的根本利益同国家的根本利益是一致的，中央政府的心同香港同胞的心也是完全连通的。背靠祖国、联通世界，这是香港得天独厚的显著优势，香港居民很珍视，中央同样很珍视。中央政府完全支持香港长期保持独特地位和优势，巩固国际金融、航运、贸易中心地位，维护自由开放规范的营商环境，保持普通法制度，拓展畅通便捷的国际联系。中央相信，在全面建设社会主义现代化国家、实现中华民族伟大复兴的历史进程中，香港必将作出重大贡献。

同胞们、朋友们！

在中国人民和中华民族迎来从站起来、富起来到强起来的伟大飞跃中，香港同胞从未缺席。当前，香港正处在从由乱到治走向由治及兴的新阶段，未来5年是香港开创新局面、实现新飞跃的关键期。机遇和挑战并存，机遇大于挑战。中央政府和香港社会各界人士对新一届特别行政区政府寄予厚望，全国各族人民对香港满怀祝福。在这里，我提出 4 点希望。

第一，着力提高治理水平。完善治理体系、提高治理能力、增强治理效能，是把香港特别行政区建设好、发展好的迫切需要。行政长官和特别行政区政府是香港的当家人，也是治理香港的第一责任人。要忠实履行誓言，以实际行动贯彻“一国两制”方针，维护基本法权威，为香港特别行政区竭诚奉献。要按照德才兼备的标准选贤任能，广泛吸纳爱国爱港立场坚定、管治能力突出、热心服务公众的优秀人才进入政府。要提升国家观念和国际视野，从大局和长远需要出发积极谋划香港发展。要转变治理理念，把握好政府和市场的关系，把有为政府同高效市场更好结合起来。要加强政府管理，改进政府作风，树立敢于担当、善作善成新风尚，展现良政善治新气象。

第二，不断增强发展动能。香港地位特殊，条件优良，发展空间十分广阔。中央全力支持香港抓住国家发展带来的历史机遇，主动对接“十四五”规划、粤港澳大湾区建设和“一带一路”高质量发展等国家战略。中央全力支持香港同世界各地展开更广泛、更紧密的交流合作，吸引满怀梦想的创业者来此施展抱负。中央全力支持香港积极稳妥推进改革，破除利益固化藩篱，充分释放香港社会蕴藏的巨大创造力和发展活力。

第三，切实排解民生忧难。“享天下之利者，任天下之患；居天下之乐者，同天下之忧。”我说过，人民对美好生活的向往，就是我们的奋斗目标。当前，香港最大的民心，就是盼望生活变得更好，盼望房子住得更宽敞一些、创业的机会更多一些、孩子的教育更好一些、年纪大了得到的照顾更好一些。民有所呼，我有所应。新一届特别行政区政府要务实有为、不负人民，把全社会特别是普通市民的期盼作为施政的最大追求，拿出更果敢的魄力、更有效的举措破难而进，让发展成果更多更公平惠及全体市民，让每位市民都坚信，只要辛勤工作，就完全能够改变自己和家人的生活。

第四，共同维护和谐稳定。香港是全体居民的共同家园，家和万事兴。经历了风风雨雨，大家痛感香港不能乱也乱不起，更深感香港发展不能再耽搁，要排除一切干扰聚精会神谋发展。香港居民，不管从事什么职业、信奉什么理念，只要真心拥护"一国两制"方针，只要热爱香港这个家园，只要遵守基本法和特别行政区法律，都是建设香港的积极力量，都可以出一份力、作一份贡献。希望全体香港同胞大力弘扬以爱国爱港为核心、同"一国两制"方针相适应的主流价值观，继续发扬包容共济、求同存异、自强不息、善拼敢赢的优良传统，共同创造更加美好的生活。

我们还要特别关心关爱青年人。青年兴，则香港兴；青年发展，则香港发展；青年有未来，则香港有未来。要引领青少年深刻认识国家和世界发展大势，增强民族自豪感和主人翁意识。要帮助广大青年解决学业、就业、创业、置业面临的实际困难，为他们成长成才创造更多机会。我们殷切希望，每一个香港青年都投身到建设美好香港的行列中来，用火热的青春书写精彩的人生。

同胞们、朋友们！

“愿将黄鹤翅，一借飞云空。”中华民族伟大复兴已经进入不可逆转的历史进程。推进“一国两制”在香港的成功实践是这一历史进程的重要组成部分。我们坚信，有伟大祖国的坚定支持，有“一国两制”方针的坚实保障，在实现我国第二个百年奋斗目标的新征程上，香港一定能够创造更大辉煌，一定能够同祖国人民一道共享中华民族伟大复兴的荣光！

图书在版编目(CIP)数据

在庆祝香港回归祖国二十五周年大会暨香港特别行政区第六届政府就职典礼上的讲话/习近平 著. —北京:人民出版社,2022.7

ISBN 978-7-01-024867-7

Ⅰ.①在… Ⅱ.①习… Ⅲ.①习近平-讲话②方针政策-香港 Ⅳ.①D2-0②D676.582

中国版本图书馆 CIP 数据核字(2022)第 111007 号

(RMC-ZJDXI-128-20220701)

在庆祝香港回归祖国二十五周年大会暨香港特别行政区第六届政府就职典礼上的讲话

ZAI QINGZHU XIANGGANG HUIGUI ZUGUO ERSHIWU ZHOUNIAN DAHUI JI XIANGGANG TEBIE XINGZHENGQU DI-LIUJIE ZHENGFU JIUZHI DIANLI SHANG DE JIANGHUA

(2022 年 7 月 1 日)

习 近 平

人民出版社 出版发行
(100706 北京市东城区隆福寺街 99 号)

北京新华印刷有限公司印刷 新华书店经销

2022 年 7 月第 1 版 2022 年 7 月北京第 1 次印刷
开本:880 毫米×1230 毫米 1/32 印张:0.5
字数:5 千字

ISBN 978-7-01-024867-7 定价:2.00 元

邮购地址 100706 北京市东城区隆福寺街 99 号
人民东方图书销售中心 电话 (010)65250042 65289539